ART
创意训练营

和孩子一起玩创意

Think and Make like an artist

开启超凡艺术力的综合材料实验

上海人民美術出版社

[美] 克劳迪娅·博尔特 [英] 埃莉诺·梅瑞狄斯 著 张冉 译

图书在版编目（CIP）数据

和孩子一起玩创意：开启超凡艺术力的综合材料实验 /（美）克劳迪娅·博尔特，（英）埃莉诺·梅瑞狄斯著；张冉译.
-- 上海：上海人民美术出版社，2020.1
书名原文: Think and make like an artist
ISBN 978-7-5586-1491-0

Ⅰ. ①和… Ⅱ. ①克… ②埃… ③张… Ⅲ. ①艺术创作
Ⅳ. ①J04

中国版本图书馆CIP数据核字(2019)第268388号

Written and art-directed by Claudia Boldt and Eleanor Meredith, founders of The Loop
Edited by Georgian Amson-Bradshaw
Designed by Shaz Mandani
Original Illustrations by Jay Daniel Wright and Ola Niepsuj
Activities made by Laura Bird
This edition first published in China in 2019 by Shanghai People' s Fine Arts Publishing House, Shanghai

合同登记号：图字：09-2018-254

ART创意训练营

和孩子一起玩创意

开启超凡艺术力的综合材料实验

著　　者：[美] 克劳迪娅·博尔特
　　　　　[英] 埃莉诺·梅瑞狄斯
译　　者：张　冉
统　　筹：姚宏翔
责任编辑：丁　雯
流程编辑：马永乐
封面设计：李双珏
版式设计：胡思颖
技术编辑：史　湧
出版发行：上海人民美術出版社
　　　　　（上海长乐路672弄33号　邮编：200040）
印　　刷：上海利丰雅高印刷有限公司
开　　本：889×1194　1/16　印张 5
版　　次：2020年1月第1版
印　　次：2020年1月第1次
书　　号：ISBN 978-7-5586-1491-0
定　　价：65.00元

本书的主题是艺术。

首先，它能够启发你对艺术的思考，然后，你便会发现艺术创作的乐趣。在探索艺术的过程中，你还会从艺术家的作品中发现无限的创意和灵感。

目录

想象一件艺术作品。

你脑海中浮现的是什么?

一幅画?一座雕塑?还是一张照片?

审视这件作品。

它的作者是谁?是如何创作的?

以及,创作缘由是什么呢?

思考

我们不禁会问，艺术家从何处获取灵感？每一个艺术家都会有不同的答案。他们可能会在公园散步时产生灵感，抑或在咖啡厅观察形形色色的人们时，获得灵感。有时，艺术家的思想很宏大，关乎人类自由、平等和未来。有时，他们仅是在抒发个人情感。不过，他们还可能仅仅是在探索，或者从中寻找乐趣。

创作

艺术的形式众多，例如油画、摄影、绘画、服装设计和雕塑。艺术家之所以选择某种特定的艺术形式，是因为该艺术形式能够完美表达他们的思想。

艺术

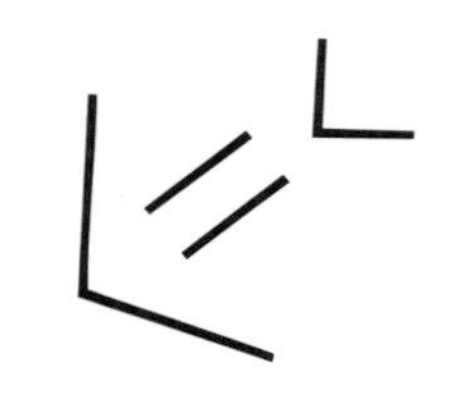

因此，艺术家一旦产生了某种想法，捕捉某种信息或者某种思考，他们便会通过艺术创作来进行表达。将想法与创作二者相结合，艺术便随之形成。

在本书中，你将会发现对不同想法进行探索的活动，并学习艺术家们不同的创作形式。现在，让我们正式开始像艺术家一样去思考，去创作吧！

通过绘画来认识世界

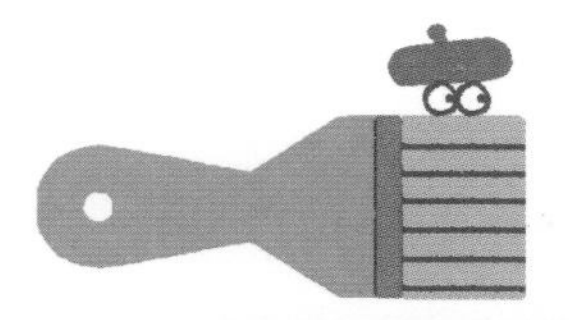

什么是绘画?

玩转图画

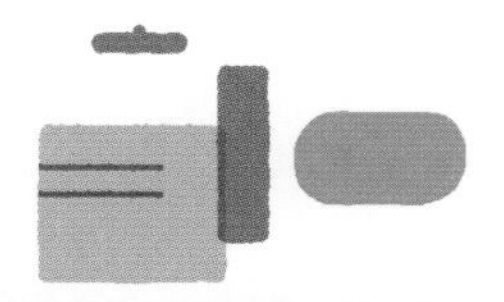

1

几千年来，艺术家们一直在描绘人和物的真实样子。

2

后来，在20世纪初，艺术家们不再描绘逼真的作品，取而代之的是充满奇形怪状和诡异色彩的作品。许多人对于这种新艺术表示十分吃惊。

3

然而，抽象艺术并非人们想象中那么新潮。早在四万多年以前，尼安德特人便在洞穴里描绘抽象的壁画了!

4

20世纪是一个大变革的时代。在世界大战期间，一些抽象艺术家通过绘画来逃避现实生活的残酷。

5

他们将世界描绘得更为朴素，以便更好地认识和理解世界。

6

抽象艺术大胆使用色彩和几何图案。请翻至下一页欣赏艺术家科妮丽雅·巴尔特斯(Cornelia Baltes)的抽象画。

科妮丽雅·巴尔特斯(Cornelia Baltes)创作了这幅抽象画。这幅画的名称是《装饰物》(*Dingbats*)。与其他作品不同的是，这幅画无需挂在墙上，而是凭借双腿直接站立于地面上，犹如舞台上的演员一般。

你好，装饰物！

"当我把这幅画倚靠在木头上时，我突然意识到，这幅画应该拥有双腿！"

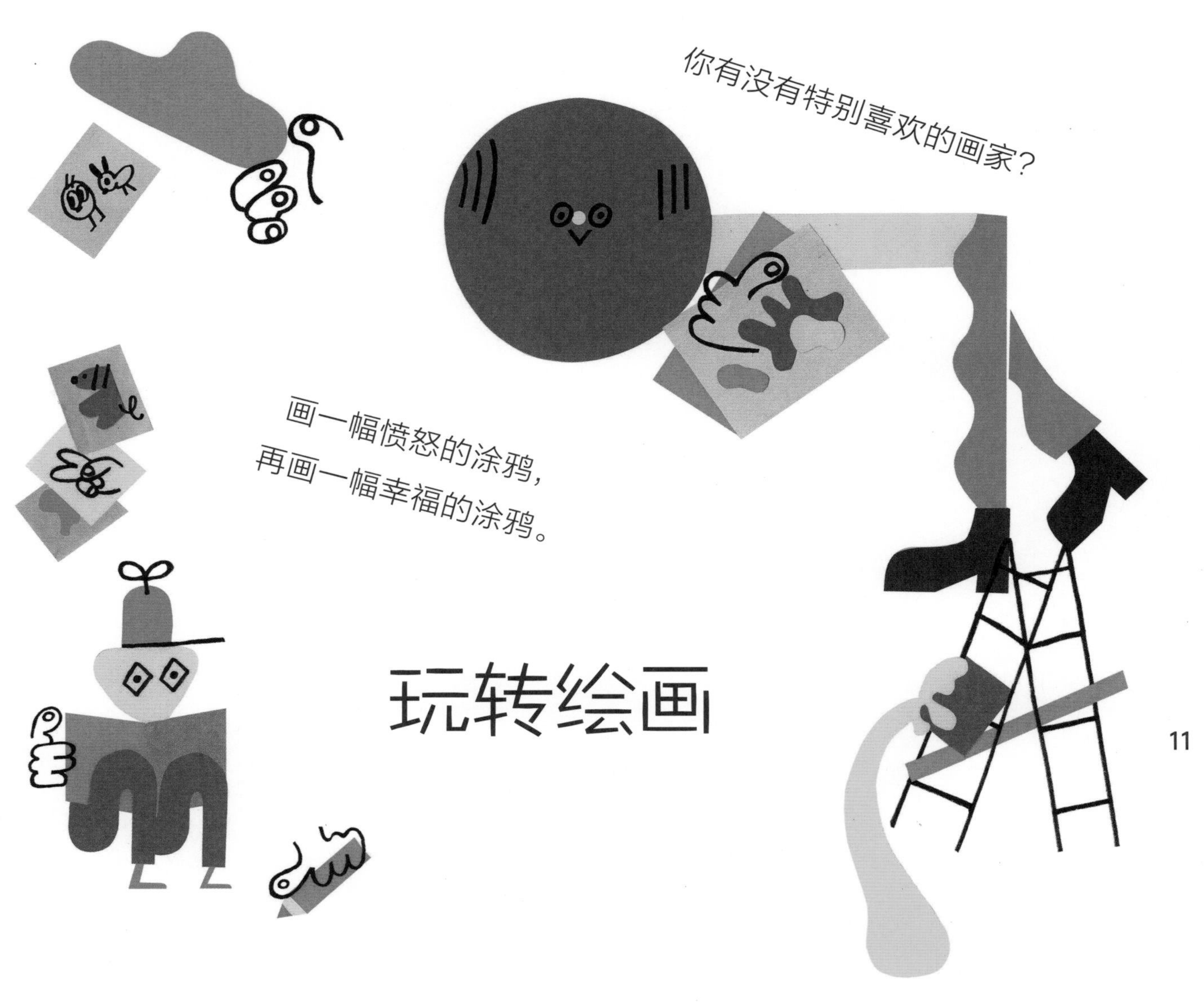

你有没有特别喜欢的画家？

画一幅愤怒的涂鸦，
再画一幅幸福的涂鸦。

玩转绘画

为描绘的事物赋予人物性格，比如胆小的纽扣、饥饿的豌豆。

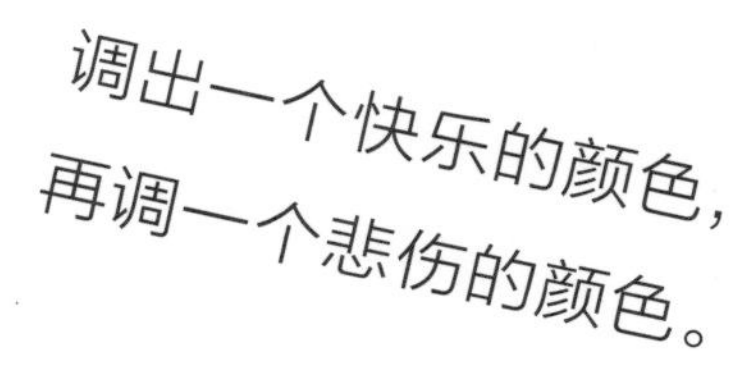

调出一个快乐的颜色，
再调一个悲伤的颜色。

用简单的图形画一只蚂蚁。

有态度的物品

我的家人和眼睛

科妮丽雅·巴尔特斯借助双腿为她的作品增加人物性格。

现在，我们就来为生活中常见的物品赋予生命吧！

绘画

→ 材料清单：
厨房中的物品、胶带、剪刀、铅笔、白色硬质纸片、颜料和画笔。

1. 用铅笔在白纸上画出眼、手臂、腿、鼻子以及嘴。

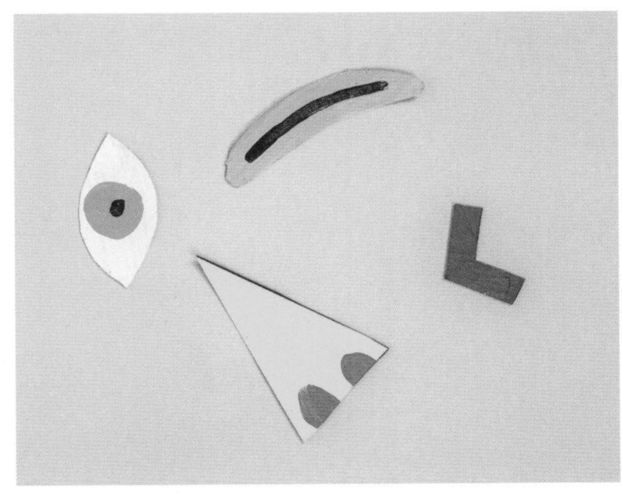

2. 涂色，等待颜料晾干后，将图形剪下。

3. 选择你希望赋予生命的物品。我们这里使用的是番茄酱瓶。

4. 用胶带将这些图形粘贴在瓶体上，然后把番茄酱瓶子放回厨房原位。接下来，就是等待家人发现惊喜的时刻！

借助形状进行绘画

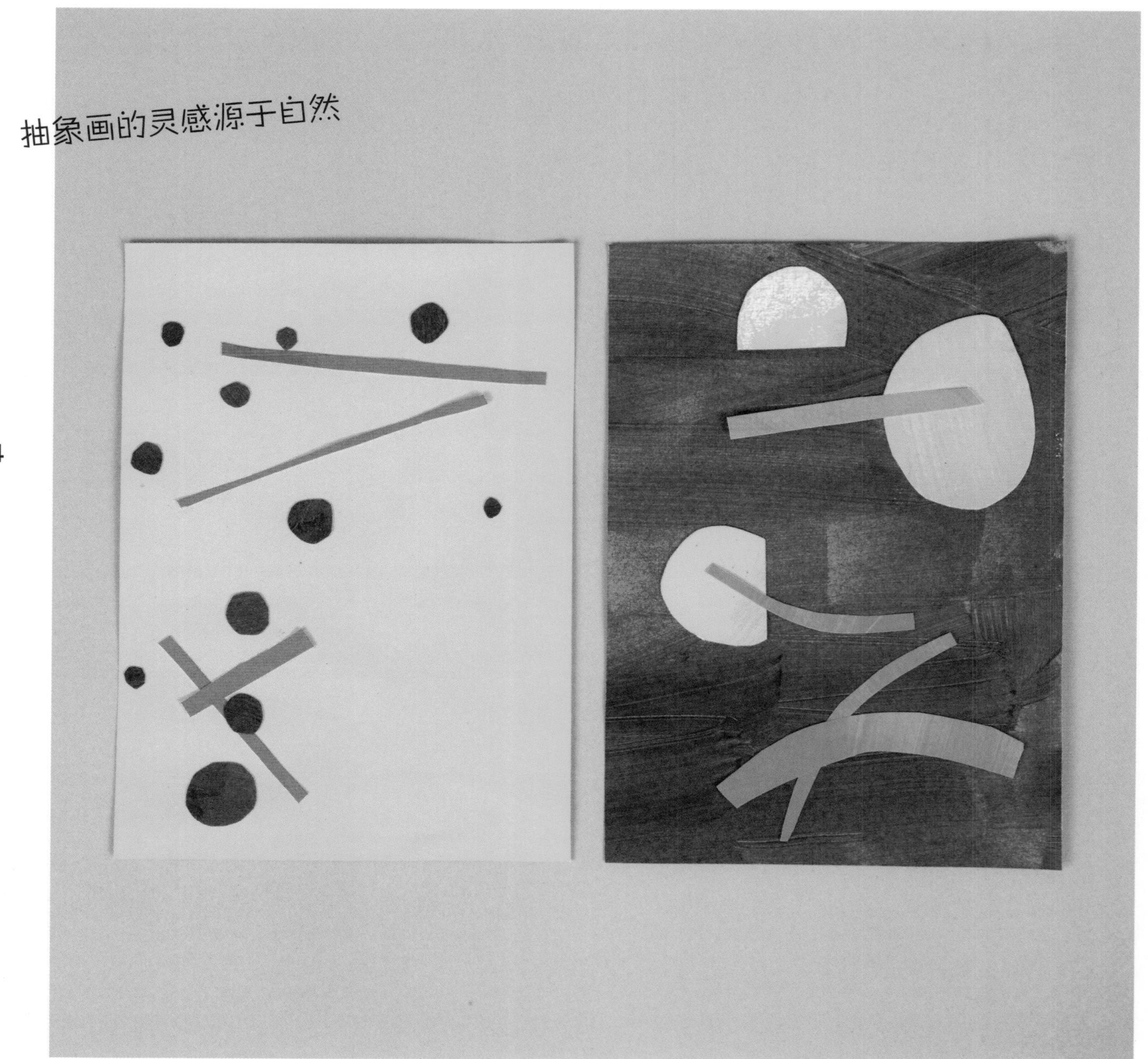

哪些简单的形状可以表现树枝呢？

给画纸上色，创作漂亮的拼贴画。

→ 材料清单：
白纸或者硬纸片、颜料、画笔、剪刀、胶水、自然界的物体。

1. 首先选择你喜欢的颜色，涂满画纸。这里建议选择明亮的颜色。然后等待画纸晾干。

2. 从公园收集一些植物和石头。你还可以通过网络或者图书来寻找喜爱事物的照片。

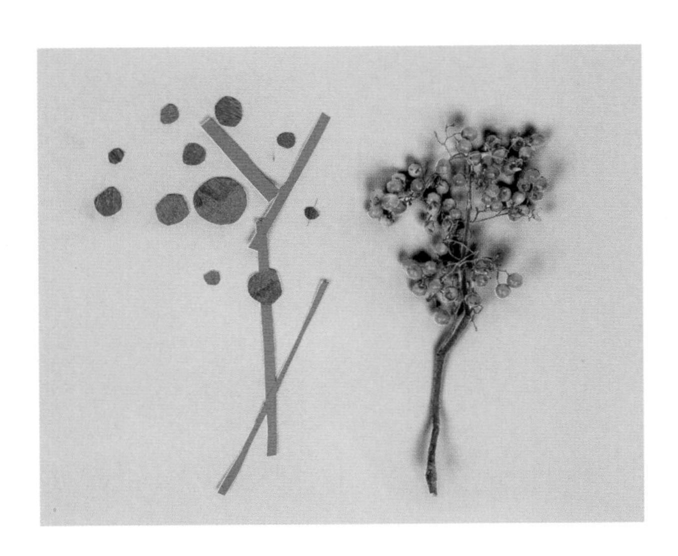

3. 仔细观察你收集的物品。纸张晾干后，依照这些物品，在纸张中剪出相应的形状。

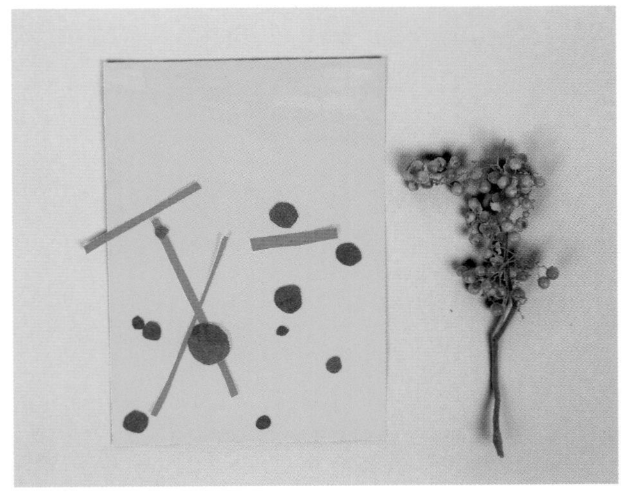

4. 依照形状，同时考虑间距，将剪好的纸片摆在画纸上并使用胶水固定。

雕塑能够引人思考，令人改变观念，并采取行动。

为何要进行雕塑创作?

艺术家们以此来改变人们的观念

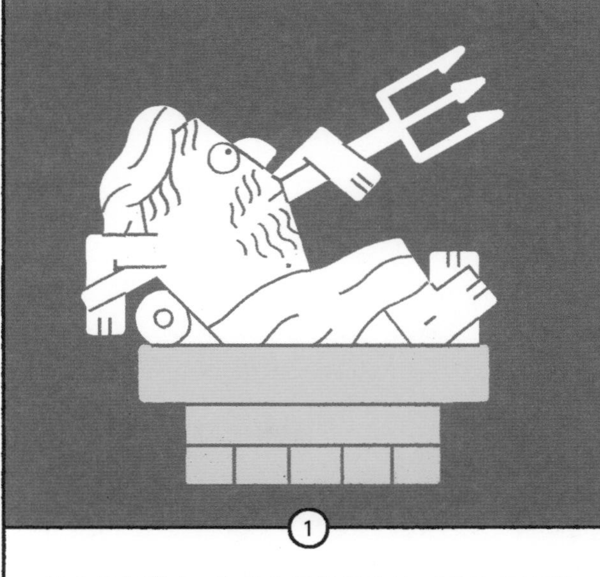

①

几个世纪以来，艺术家总是创作神、国王、王后和领袖的塑像，以供百姓歌颂。

②

那么到底是谁要求他们去创作此类雕塑呢？好问题。有时，国家希望传递一个讯息，例如“我们赢了这场战争”，或者“让我们一起庆祝和平”。

③

如今，艺术家们塑造雕塑是为了表达他们个人的政治观念，而不再去代表国家或者政府发声。

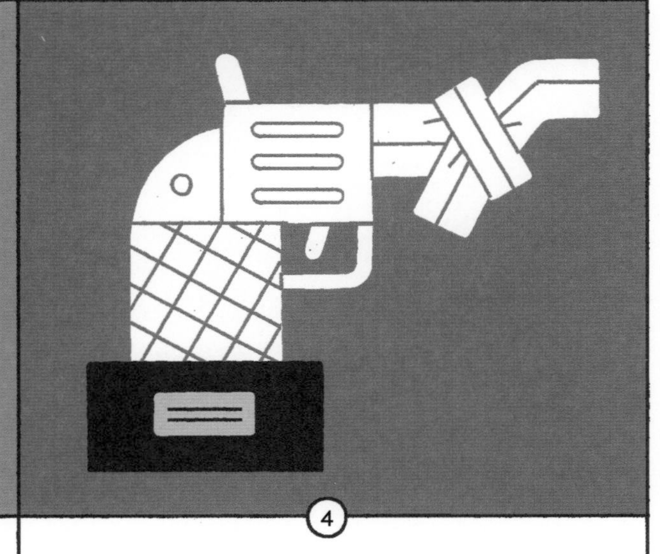

④

雕塑能够讨论重要的社会问题，例如我们如何处理人与人、人与地球的关系。在下一页中，詹姆斯·戴夫（James Dive）通过诙谐幽默的方式，表达了他对全球变暖的抗议。

詹姆斯·戴夫(James Dive)是一位雕塑家，他对澳大利亚炎热的夏天又爱又恨。这个雕塑是一辆融化的冰淇淋车，看起来十分有趣，同时又引发了我们对全球气候变暖的思考。

它以一次天气预告命名:《炎热，晚间可能有风暴来袭》(*Hot with a chance of a late storm*)。

“想象一个酷热的地方，热到连冰淇淋车都化了。”

你会在何处展示自己的雕塑作品？会有很多人看到吗？
你希望表现什么主题思想？
热爱
还是
厌恶
你想改变什么？
无论大小，你能够想到哪些让你愤怒的事件吗？

冰雕

这些融化的雕塑让我们想起当今的气候，

天气是不是变得过于炎热？

雕塑

→ 材料清单:
酸奶盒子、有趣的物品(例如树叶、贝壳、彩色碎纸片)、少量线、水和冰箱。

1. 寻找有趣的物品，比如树叶、贝壳和彩色纸片。将酸奶盒清洗干净。

2. 将物品放入酸奶盒中，装满水。

3. 将绳子打结，一端放入酸奶盒中。然后置于冰箱中过夜。

4. 取出完全冷冻的冰块，悬挂起来，然后观察其慢慢融化。

水下城市

由于全球变暖，海平面在不断上升。

创作一个以此为主题的雕塑，引起人们的重视和思考。

→ 材料清单：
不同颜色的软陶、擀面杖、黄油刀、烤箱、烤盘、亚克力涂料、
画笔、绿色橡皮泥、金鱼缸、水。

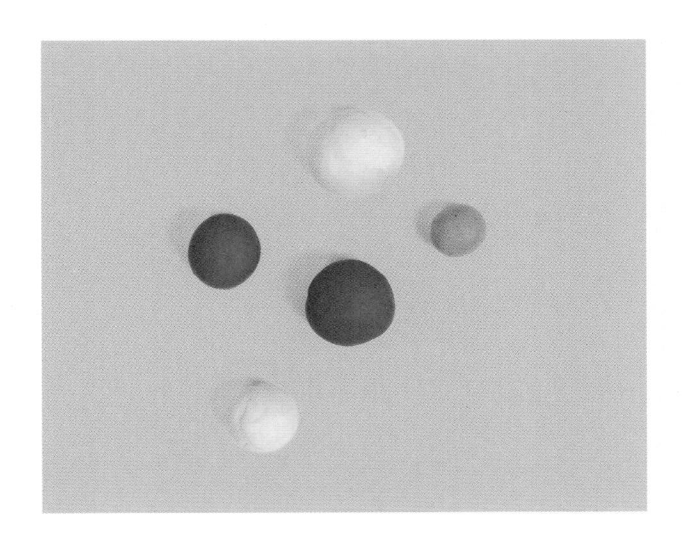

1. 将软陶揉搓成葡萄大小的球形。

2. 用擀面杖或者双手将球形压成圆盘状。

3. 用黄油刀将它们切割成房屋的形状。你希望自己的城市有多少房屋，就制作多少。

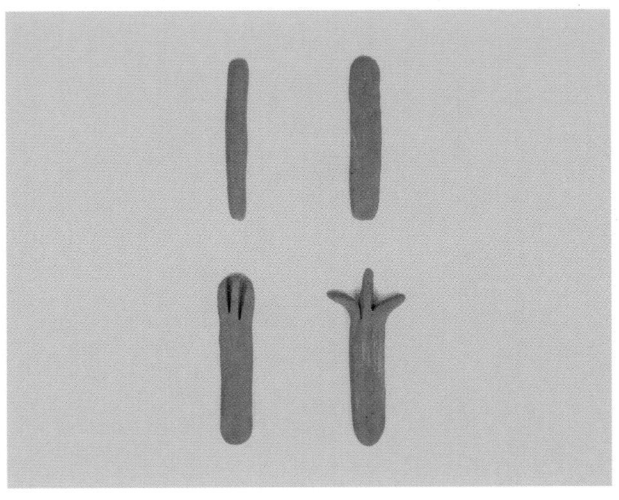

4. 再用一些软陶制作扁平的大树和树丛。

5. 将制作完成的软陶用烤盘装好，放入烤箱加热。请按照使用说明操作，或者请大人帮忙。

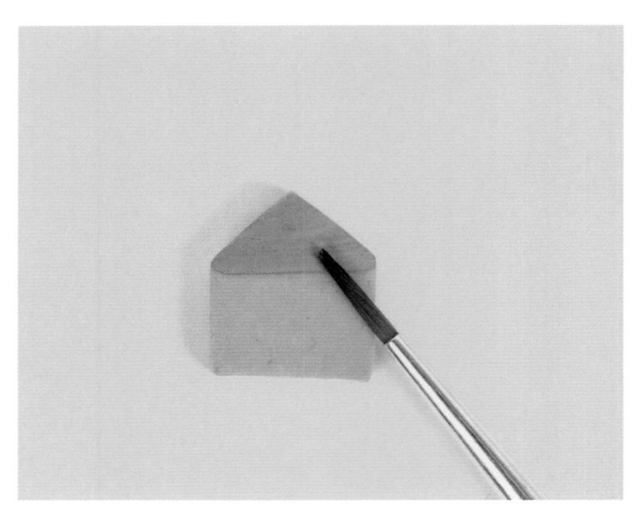

6. 待冷却变硬后，使用丙烯颜料描出细节。

7. 在房屋表面画出门窗，大树上画出枝叶。

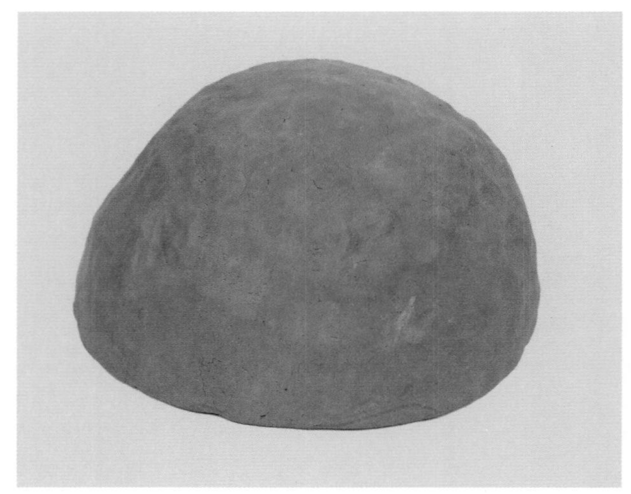

8. 用一大块绿色橡皮泥捏出一座小山。

9. 确认橡皮泥山的大小，能够刚好填满金鱼缸底部即可。

10. 将房屋和树木固定于橡皮泥山上。

11. 将制作好的城市放入金鱼缸中，按压使其固定于鱼缸底部。

12. 缓缓倒入清水，直至完全淹没整座城市。

你的衣服传达了何种讯息？

衣服会说话吗？

面具和服饰传达的讯息

①

面具和服饰能够传达出所穿之人的信息。我们穿的衣服总在诉说着我们自身的故事。例如厨师的帽子和工作服，便告诉了所有人："我的厨艺很精湛！"

②

我们常常根据穿着来评价别人。所以，穿着做工精良的西服的人，会给人一种严肃之感；而穿戴医生的白色大褂和眼镜的人，则给人留下聪明的印象。演员通过服装和面具来表达他们塑造的人物形象。

③

在特殊的宗教祭祀场合，世界各地的人们都会穿戴特殊的服饰。一套服饰能够讲述一个宗教故事，抑或帮助穿戴之人感受自己正在"成为"不同的人或者神灵。

④

因此，许多艺术家对于服装和面具非常感兴趣，他们希望发现这些事物如何使我们感受到自己变成了不同的人，或者幻想自己出现在一个想象的场景之中。下一页是达米安·普兰（Damien Poulain）创作的面具，这些面具能够将人送往一个奇幻的糖果世界！

达米安·普兰（Damien Poulain）用糖果创作出极其精美的面具。只要戴上面具，你就是来自糖果星的人类啦！准备好了吗？

他把这个系列命名为：
《面具与糖果》（*Masks & Sweets*）

“戴上面具，你便进入了另一个世界。”

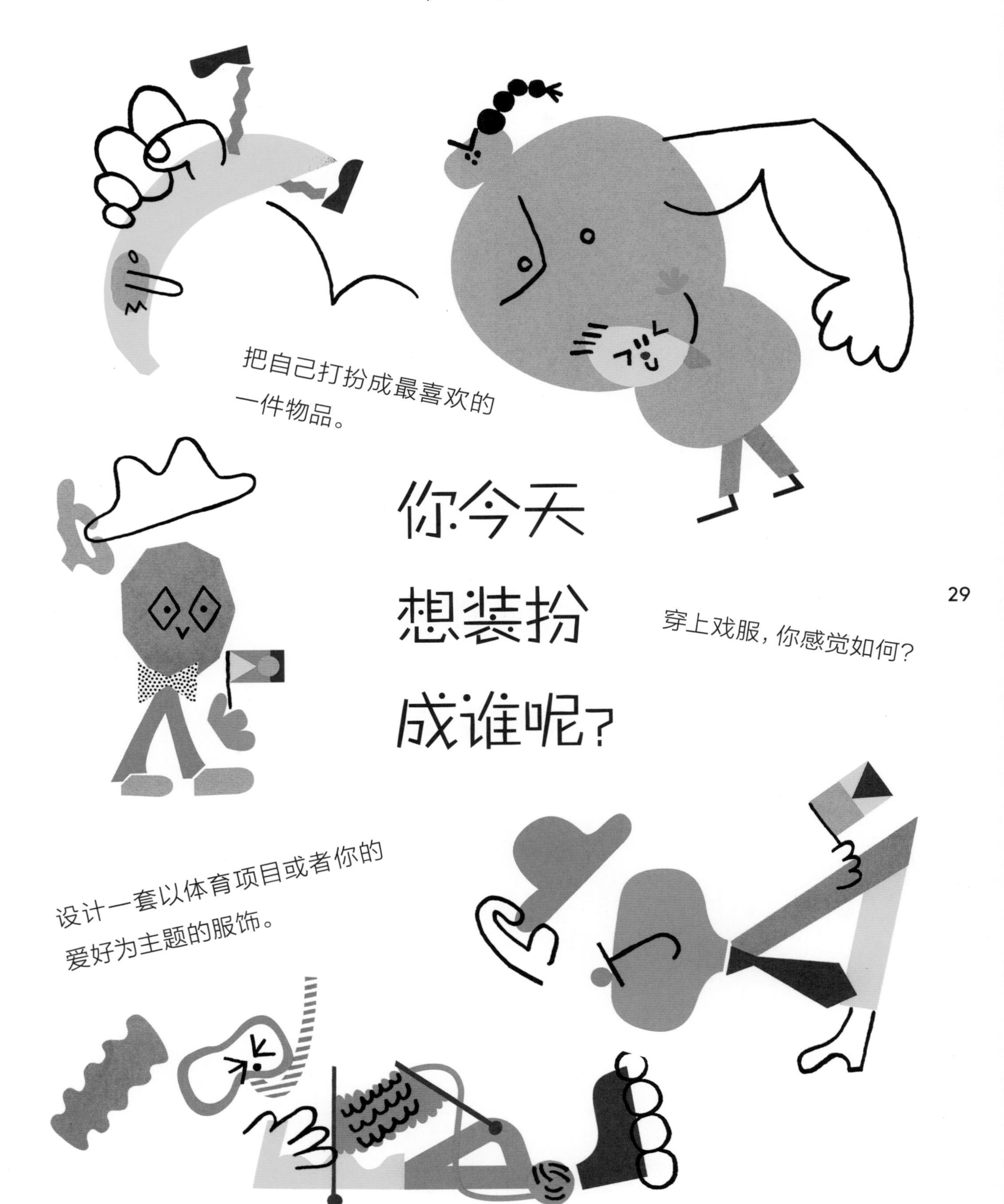

把自己打扮成最喜欢的一件物品。

你今天想装扮成谁呢？

穿上戏服，你感觉如何？

设计一套以体育项目或者你的爱好为主题的服饰。

魔幻通心粉面具

你想装扮成谁呢？

是六眼怪兽还是独眼巨人？

服装设计

→ 材料清单：
硬纸板、颜料、画笔、干燥的通心粉、剪刀、铅笔、橡皮、PVA胶、胶带。

1. 在硬纸板上画出面具，然后沿轮廓剪下。

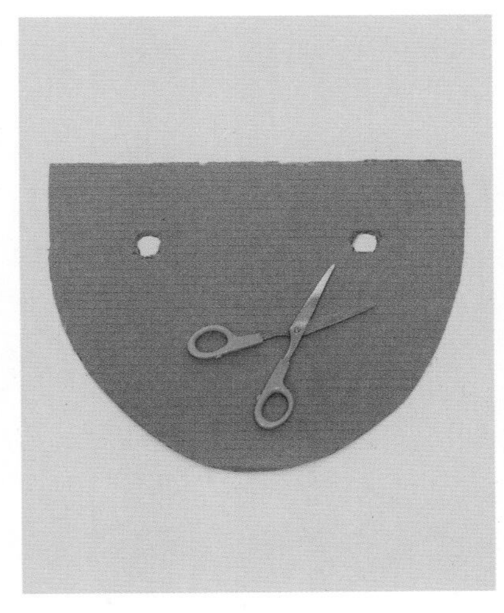

2. 在硬纸板下方垫上橡皮，用铅笔在硬纸板上戳出两个圆孔，这样能更轻松地剪出小孔。

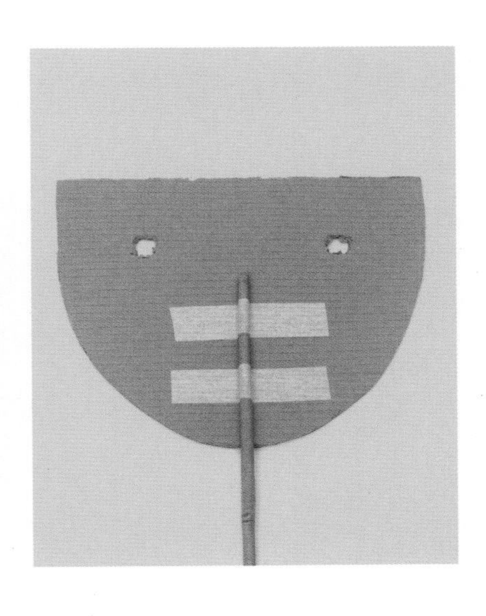

3. 用胶带将铅笔或者筷子固定于面具背面，当作手柄。

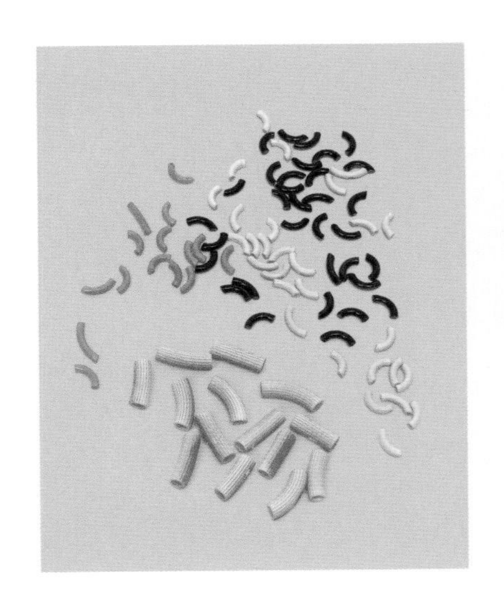

4. 将绳子打结，一端放入酸奶盒中。然后置于冰箱中过夜。将通心粉染成不同颜色，等待晾干。

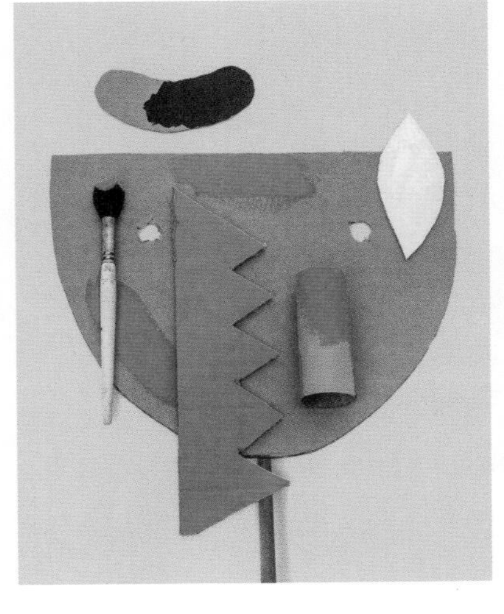

5. 为硬纸板涂上明亮的颜色。待晾干后，尝试利用硬纸片与通心粉，设计面具图案。

6. 设计完成后，便可使用胶水固定。现在，你便可以扮怪兽啦！

超能力披风

拥有超能力的你，需要一件披风。

服装设计

→ 材料清单:
一大块布料、不同颜色的毛毡、织物胶水、一长段丝带。

1. 找一大块布料，比如旧床单，然后把它剪成矩形。

2. 设计能够展现超能力的图案。根据这个设计，把毛毡剪成相应的形状。

3. 在披风顶部留出10厘米的空白，然后把剪好的毛毡用胶水粘贴在披风上（按照胶水使用说明操作哦）。

4. 将披风背面朝上，把丝带放置在距离披风顶部边缘5厘米处。向下卷起披风边缘至丝带处，成管状，使丝带置于其中，并用胶水固定。然后等待晾干。

让你眼前一亮的小·惊喜!

为什么有些图片给人印象深刻?

给人惊喜的插画

1

你是否听说过“一图抵千言”?这句话同样适用于插画。插画是快速展示和传达信息的一种方式。请观察这幅图。显然,无需任何解释,你便能够迅速读懂画面中的故事。

2

可是,如果没有人注意到你的插画,它便无法传达任何信息。在这个充满了视觉冲击的时代,广告、包装和各种图片充斥着我们的生活。图片已经很难抓住人们的眼球,并留下深刻印象。

3

制造惊喜!这是一种吸引注意力的方法。创作一幅充满惊喜且出人意料的作品,便可以吸引人们的注意力并留下印象。视觉幽默便可通过结合相对立或者相像的事物来实现这一点。例如,一位魔术师头顶戴着锥形交通路标,而不是一顶帽子。

4

另外一种方式是采用全新的形式去展现熟悉的事物。在下一页中,萨莎·伦博格(Sarah Illenberger)利用图示说明制作墨西哥辣肉酱的原材料。她并没有采用拍照的方式(这样很无聊),而是制作了3D纸模(全新的方式)。

萨莎·伦博格(Sarah Lllenberger)的作品总是围绕日常的物品和材料,她制作的作品拥有很强的视觉冲击力。她使用了圆柱体来展现一个复杂食谱的烹饪过程。

这是《墨西哥辣肉酱》(*Chilli Con Carne*)的食谱。

"我总是把我的纸质雕塑品看作立体的插画。"

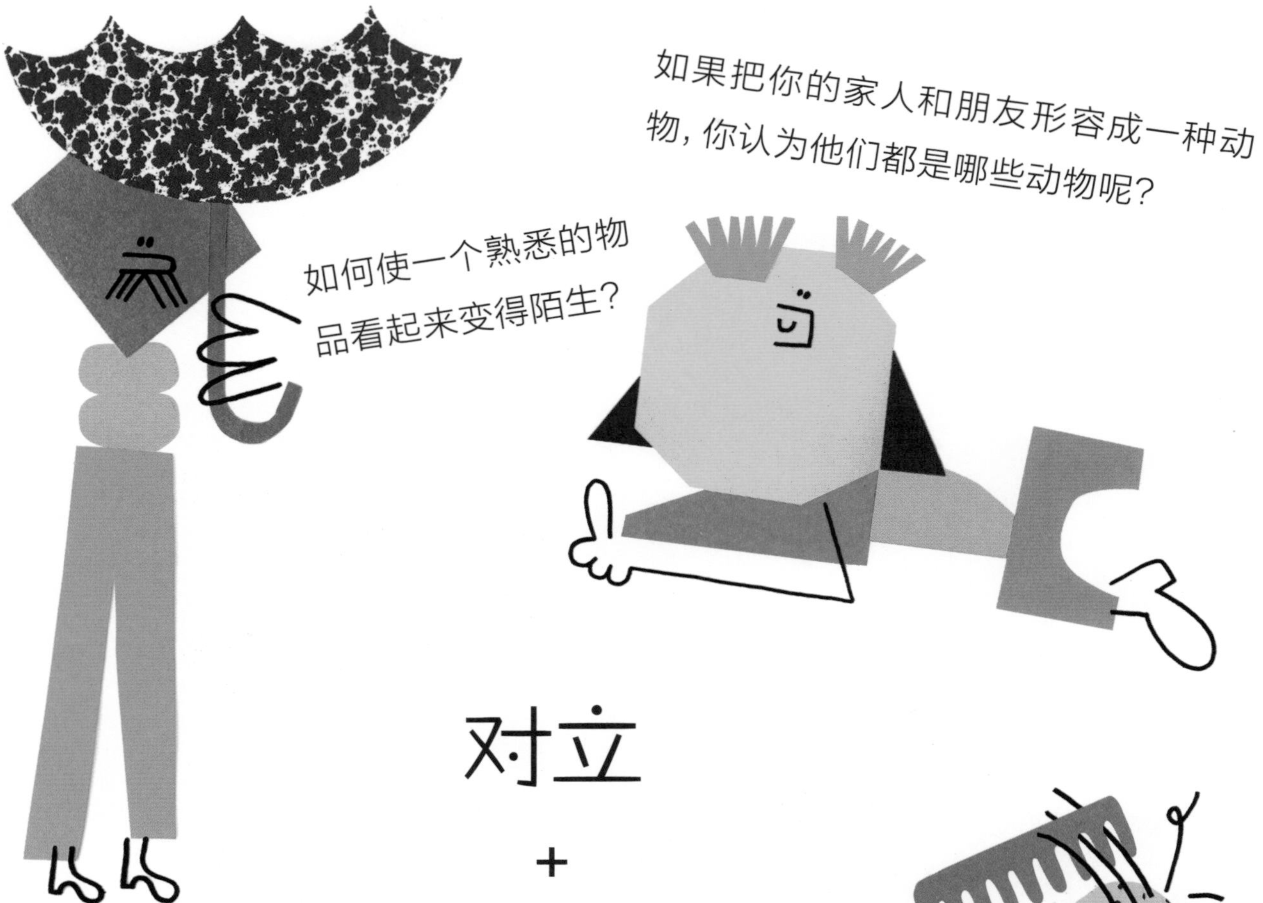

如果把你的家人和朋友形容成一种动物，你认为他们都是哪些动物呢？

如何使一个熟悉的物品看起来变得陌生？

对立 + 相像

你认为自己最像哪种物品？

想象对立的事物，比如一头秃顶的狗熊，或者一颗长毛的鸡蛋。

什锦水果

趁没人来偷吃水果前，赶紧拍一张水果的全家福照片！

插画

→ 材料清单：
水果、铅笔、白纸、彩色颜料、画笔、剪刀、相机。

1. 首先选择几种水果。

2. 接下来思考，这些水果使你想到了什么？它们还能代表什么？画出你的想法。

3. 一旦有了想法，就在白纸上使用明亮颜色的画笔绘出图案。

4. 在这个例子中，我们创作的是宇宙，所以我们描绘了星球和光束。描出你需要的形状，并用剪刀剪下。

5. 将水果与剪下的纸片重新组合，呈现全新的意义。

6. 由上至下对作品进行拍摄。如果你对自己信心十足，还可以在画面中增加多个人物。

石头运动员

一支跑速很快的球队如磐石般岿然不动。

插画

→ 材料清单：
光滑的鹅卵石、铅笔、画笔、亚克力涂料、硬纸板和广告颜料。

1. 你支持哪支球队？为球员们选择石头吧！别忘了还有足球哦！

2. 使用丙烯颜料，把石头的下半部涂成球衣的颜色，上半部涂成人脸的颜色。

3. 晾干后，用铅笔在石头上画出人的五官以及衣服上的细节，如球衣号码。

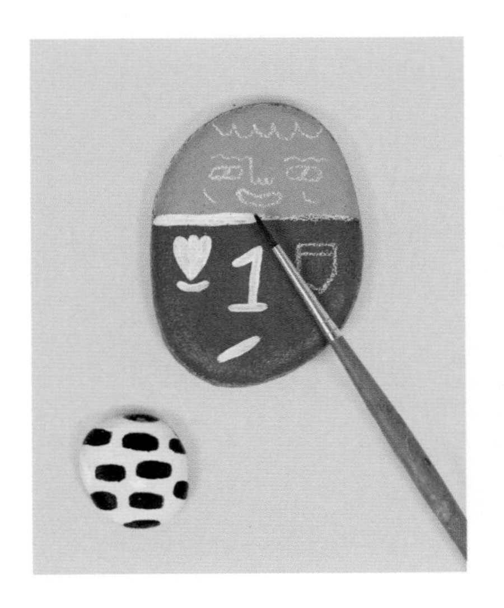

4. 再次使用丙烯颜料画出细节。别忘了还有足球。

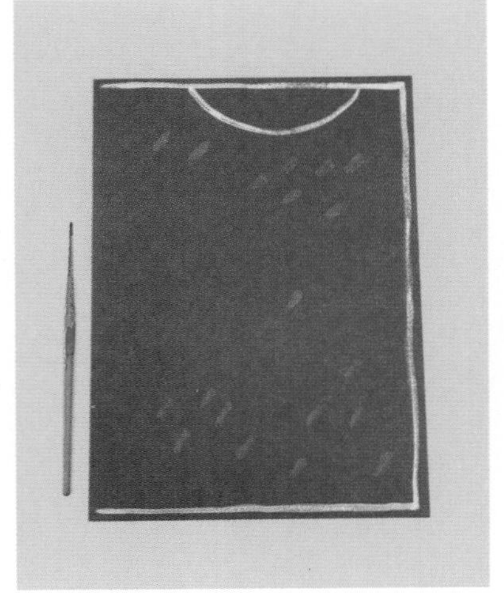

5. 使用广告颜料在硬纸板上画出球场，一定要画出所有的底线、边线和球门。

6. 把球员放在球场上，当然还可以包括对方球员。

对称与剪影

传统艺术还能够激发灵感吗？

玩转剪纸

①

纸是一种价格低廉、应用广泛的材料。从中国古代的剪纸到墨西哥的剪纸艺术（papel picado），世界各地的民间艺术家都在利用剪纸的漂亮形状和对称的特性进行创作。

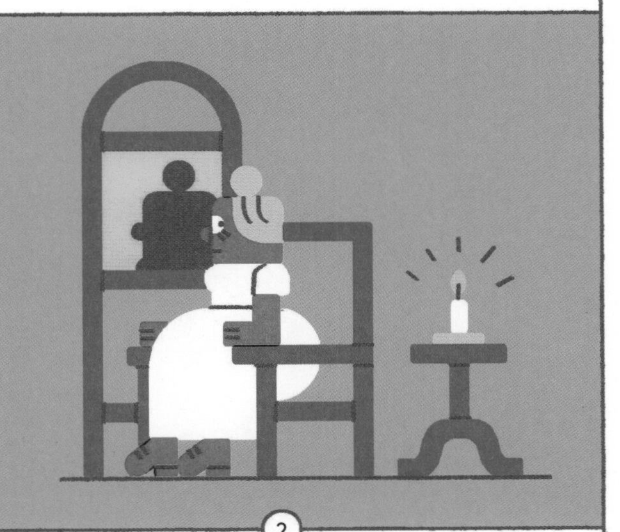

②

在18世纪的欧洲，个人肖像画极为奢侈，只有贵族才能够承担得起。但是，从黑色纸上剪下的剪影（头部的侧面轮廓阴影），是普通大众能够消费得起的一种选择。

③

19世纪，波兰农民装饰房间的剪纸是用剪羊毛的剪刀剪的。这些剪纸展现了季节和宗教主题，例如复活节公鸡，以及对称的几何图案。

④

下一页是德国艺术家王翰尼（Henning Wagenbreth）的剪纸作品。他的灵感正是来源于这种传统艺术形式。通过剪纸，他展现了全新的现当代潮流，这些作品充斥着怪诞离奇的生物和机器。

王翰尼（Henning Wagenbreth）的怪诞世界中，你能看到人形的高楼、诡异的机器以及双头生物。

他的作品集叫作：
《哇！对称的剪纸！》（*WOW! Symmetrical Papercuts*）

“剪纸最大的乐趣在于打开对折的纸片那一刻，
所看到的意料之外的惊喜。”

勾勒对称的图案。

向物体打一束光，然后描出它的影子。

勾勒身边事物的轮廓。

镜子 + 影子

在网格纸上画一张对称的人脸。

肖像剪纸

肖像剪纸的灵感正源自王翰尼的剪纸艺术。

纸艺

→ 材料清单：
大张对比色的彩纸、剪刀、铅笔和胶棒。

1. 描绘人物肖像。思考人脸上对称的部分。

2. 将一大张彩纸从中间对折。画出半边人脸。折线就是中线。

3. 在画纸上描绘连接人脸顶部和底部的线条，表示肖像的画框。

4. 围绕图案，同时裁剪折叠的两部分。裁剪的时候，注意不要剪断图案本身。

5. 打开对折的剪纸，我们便可以欣赏这幅对称的作品。你还可以试试使用不同背景色的彩纸。

6. 用胶水将彩纸粘贴在剪纸作品背面。翻回正面，这个肖像作品便完成了。

舞动的纸片

活动雕塑，顾名思义，是一种可以移动的雕塑。
让我们打造炫酷的纸片，一起翻转，一起摇摆。

纸艺

→ 材料清单:
彩纸、颜料、画笔、剪刀、铅笔、绳子、打孔器、丝带、30厘米长的细棍。

1. 观察你所在的城市。根据你的观察，描出简单的形状。

2. 在彩纸上描绘图案。

3. 将你在步骤1中画的形状描绘到彩纸上。用剪刀剪下，在每一片纸上打一个孔。

4. 将绳子剪成几段，每段20-30厘米长。在每段绳子的中间和底部，分别系上一片纸。

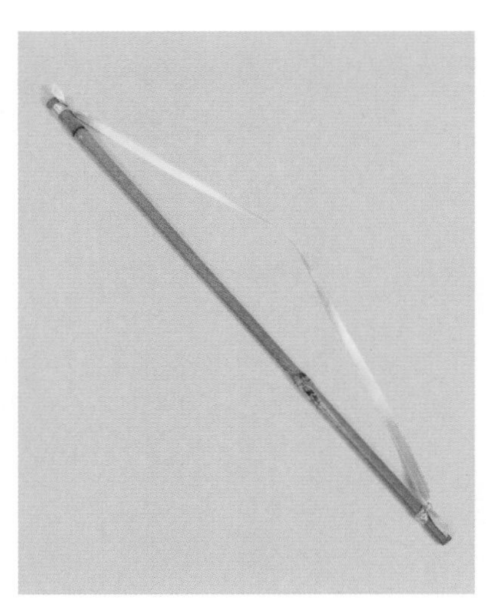

5. 剪一段丝带，长度约为木棍的1.5倍。将丝带的两端分别系在木棍的两端。

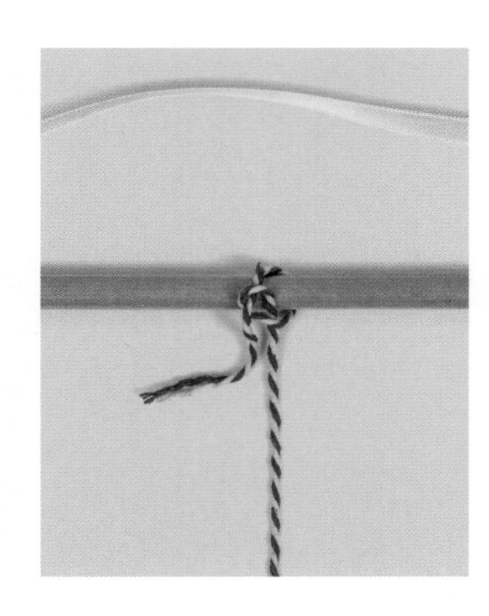

6. 将系着纸片的绳子系到木棍上，保持相同的间距，将丝带悬挂起来即可。

机器人

街舞机器人剪影

放音乐！欣赏机器人街舞吧！

→ 材料清单：

铅笔、白纸、橡皮、黑色薄纸、剪刀、开口销、细木棍或竹签、胶带、白色幕布和电灯。

1. 机器人已经占领了全世界。他们正在通过跳舞的方式一决胜负。描绘出你想象中的机器人。

2. 在黑色纸片上分别画出机器人的头部、躯干和四肢。在四肢上留出1厘米长的标记，作为关节。用剪刀剪下。

3. 在纸片下垫上橡皮，用铅笔戳出纸片上的细节，然后用剪刀旋转剪下。不要忘记眼睛哦。

4. 用开口销把四肢连接起来。拿起所有的纸片，用铅笔在纸片穿出小孔。插入开口销，按压底部使其打开。

5. 将竹签粘贴在背面。每一个可以活动的部分都需要一根竹签。

6. 挂一块幕布，打一盏灯，便搭起了一个舞台。在幕布与灯之间，操控这些木偶。

建造房屋

人们居住空间的艺术

房屋能够改变生活吗？

庞大的艺术，宏伟的创意

①

近几百年来，艺术家与建筑师一直在探索一个完美世界，即“乌托邦”。乌托邦到底是什么样子？人们是如何生存和居住的？那里的房屋是什么样子呢？

②

一间房屋的设计会影响人们的感受甚至是行为。阴暗、狭小的房间使人心情压抑。而在设有公共花园的居民区中，居民可能会与邻居有更多交流。

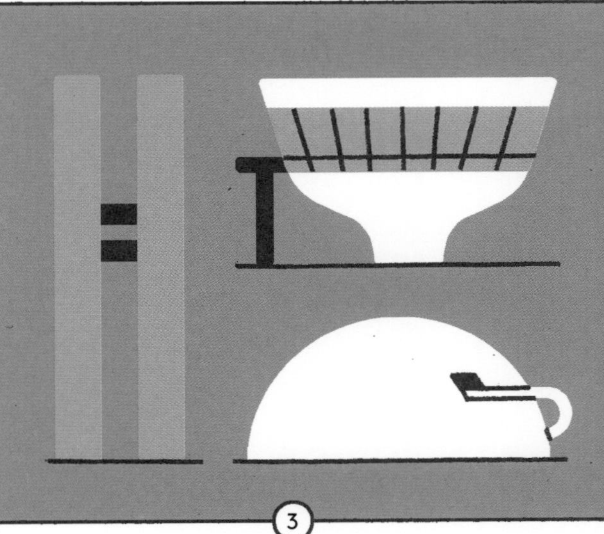

③

20世纪60年代，建筑师们曾尝试建造居住环境更为舒适的房屋。以豪斯-拉克-科（Haus-Rucker-Co）为代表的艺术家们打造的大型3D作品，使人们能置身其中，亲身体验迷你的乌托邦世界。

④

豪斯-拉克-科是20世纪60-70年代打造充气结构建筑的一个建筑团体。他们大胆激进的创作引发了公众对于空间以及人类与空间关系的思考。下一页的《7号绿洲》正是他们的代表作品之一。

豪斯-拉克-科（Haus-Rucker-Co）打造的是一个临时的充气房间。它从一幢大楼的内部探出，为人们提供了一个休闲娱乐的场所。

谁会拒绝在这座《7号绿洲》（*Oasis No.7*）中消磨时光呢？

“它体现的是城市居民对于自然的向往。”

建造房屋

描绘一幢房屋，里面充满了使生活更为便利舒适的发明创造。

对于你生活的城市，什么是最好的事情？

梦想
+
梦魇

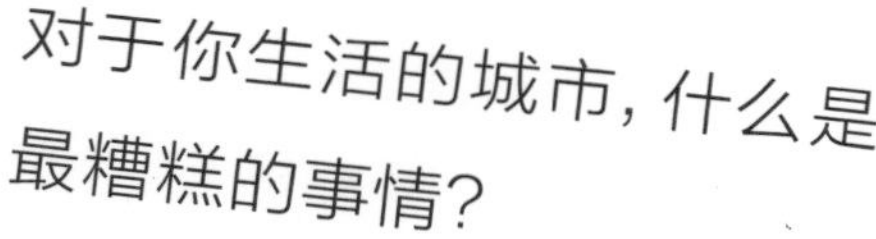

对于你生活的城市，什么是最糟糕的事情？

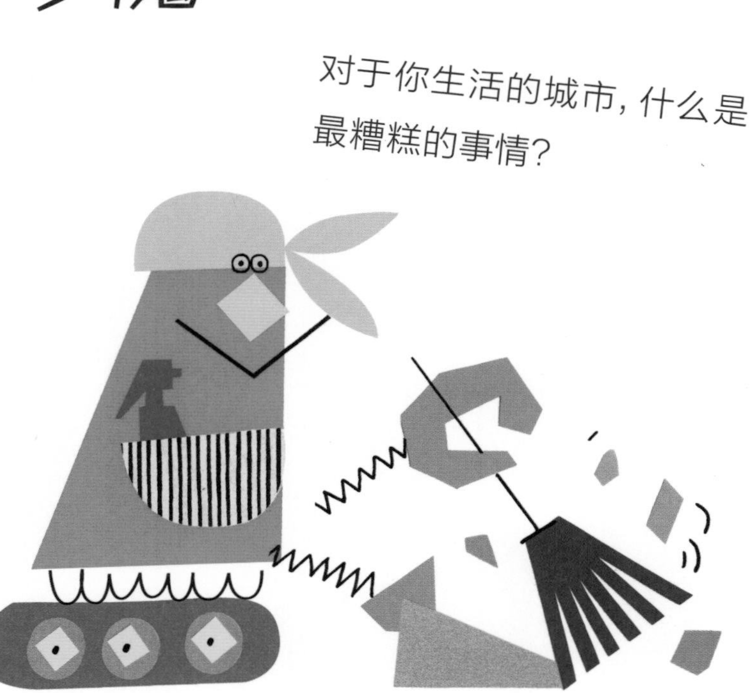

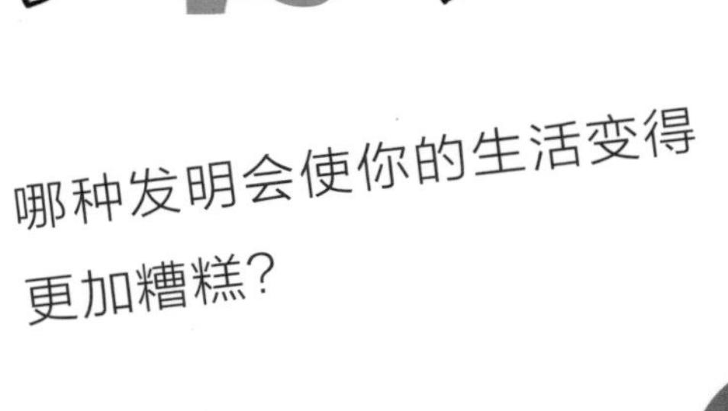

哪种发明会使你的生活变得更加糟糕？

科幻城市

一日之王！

如果你是未来世界的统治者，它将会是什么样子？

建造房屋

→ 材料清单:
3大张硬纸片、铅笔、剪刀、白纸、颜料、画笔。

1. 描绘出你的科幻城市中的摩天大楼。

2. 将3张硬纸片折成风琴的形状。折痕的间距可以不同。

3. 在每一个折页中描绘房屋，前排的房屋较远处的房屋更矮。

4. 沿着屋顶的边缘裁剪。

5. 涂画明亮的各式图案，等待晾干。

6. 剪出窗户。展示你的作品，并按照高低排列。

描绘你居住的街区

漫步于家门口的小路上，你是否得到了灵感？

建造房屋

→ 材料清单：
铅笔、白纸、泡沫板、圆珠笔、亚克力颜料、画笔、滚筒、剪刀、一大张白纸和胶棒。

1. 画出你所居住街区的房屋。将画好的图案放在与纸张大小相同的泡沫板上。

2. 用圆珠笔用力描一遍图案，使其在泡沫上留下印记。

3. 使用丙烯颜料在泡沫上为图案上色。然后用画笔的末端在颜料上刮出图案的细节。

4. 将一张白纸附在泡沫表面。使用滚筒压实。

5. 然后揭开白纸，并用剪刀修剪。

6. 使用相同的方法印制其他房屋和树木的图案。然后把所有图案粘贴在同一张白纸上。

完美世界

如果你可以打造自己的梦想之家，它会是什么样子呢？

建造房屋

→ 材料清单：
铅笔、白纸、白色硬纸片、广告颜料、画笔。

1. 你梦想的房间是什么样子？现在，我们来制作一间恐龙主题的房间。

2. 将一张白纸折成3个部分，表示房间的三面墙。从另外一张纸上剪下一个圆形，作为地板。

3. 按照自己的喜好，修剪墙面顶部。用颜料为墙面和地板上色。

4. 在白色纸片上描绘家具和装饰，每一件物品都需要留出2厘米宽的底座，这样折叠底座后物品便能够站立。

5. 使用广告颜料上色。颜料晾干后，用剪刀剪下，将底座向后折叠使其站立。

6. 尝试摆放并找到最合适的位置。然后使用胶水将底座粘贴在你的小屋地板上。

集体创作

人多力量大

为什么要合作进行艺术创作？

艺术家们是如何合作来完成绝美的艺术作品的？

①

通常情况下，艺术品都是由某一位艺术家独立完成的。因为艺术家希望能够完全掌控自己的创作。然而有时候，团队合作却更胜一筹。

②

一些大型艺术作品需要多人合作完成。“名字”（Names）这一项目由94000人共同完成。他们合力制作了一条54吨重的棉被，来纪念因艾滋病去世的人们。

③

有时候，拥有相同兴趣和创作方式的艺术家们会共同参与创作同一个作品。这样一来，最终的作品便包含了许多不同的想法和技艺。上一章节中提到的豪斯-拉克-科便是一个典型的例子。

④

团队合作有时十分令人振奋，因为我们可能会创造意想不到的结果。草间弥生（Yayoi Kusama）便请观众帮助她一起完成她的作品。下一页中这幅色彩绚烂的作品正是在观众互动中完成的。

草间弥生（Yayoi Kusama）痴迷于波点图案。她的作品中总是充满波点。在这个作品中，她把圆形便利贴交给观众们，请他们随意贴满整个白色房间。

这部由集体完成的作品叫作：
《消逝屋》（*The Obliteration Room*）

“波点并不是单独存在的个体……
波点通向永恒。”

欢乐的集体创作

和朋友一同描绘一个喧闹的集市。

头部、躯干和腿

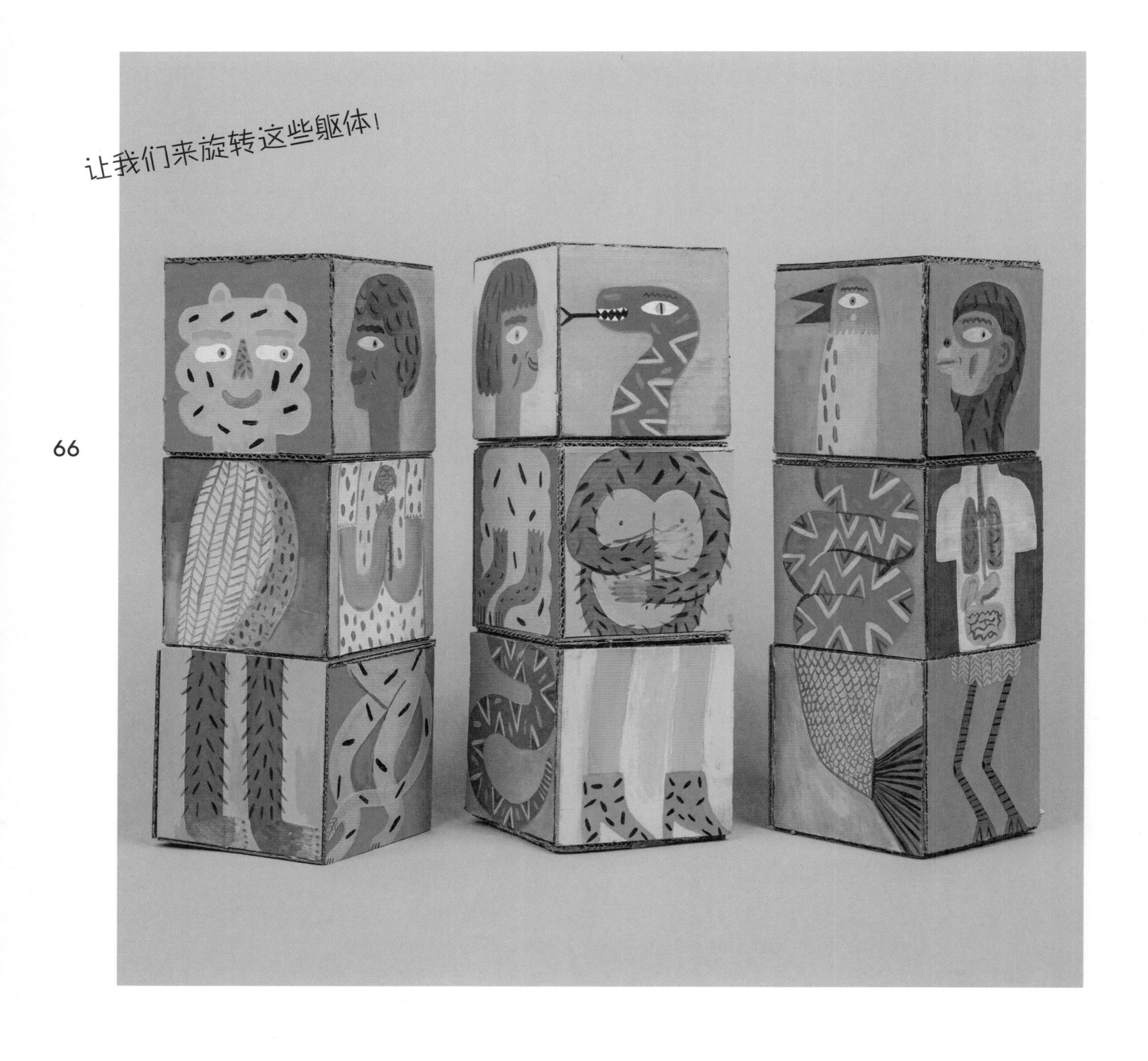

和朋友们一起打乱这些躯体吧。

集体创作

→ 材料清单:
9个正方体纸盒、广告颜料和画笔。

1. 这个作品需要3个人共同完成，每个人负责3个纸盒。在第一个盒子上画出头部，第二个盒子上画躯体，最后一个盒子上画出双腿。

2. 等颜料晾干后，互相交换纸盒。在交换来的纸盒空白面上分别再次画出头部、躯体和腿。

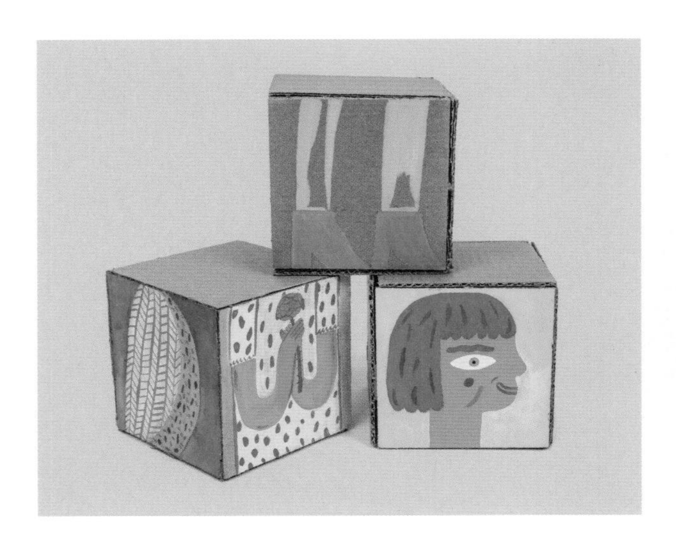

3. 再次交换纸盒，画出头部、躯体和腿。这样一来，每个人在每一个纸盒上都描绘了图案。

4. 等待颜料晾干，将3个纸盒罗列在一起，表现一个生物。然后尝试旋转纸盒，看一看总共有多少种不同的生物。

集体创作

怪兽纸模

制作怪兽

集体创作

→ 材料清单:

铅笔、白纸、报纸、锡箔纸、亚克力涂料、画笔、剪刀、PVA胶水、清水、浅底盘子、胶带。

1. 你需要召集一群人。每个人描绘一种怪兽，这些怪兽舞动的姿势各不相同。

2. 将报纸揉成一团。这些将用于填充你制作的怪兽。

3. 用锡箔纸把报纸团包裹起来，在顶部捏出一个头的形状。

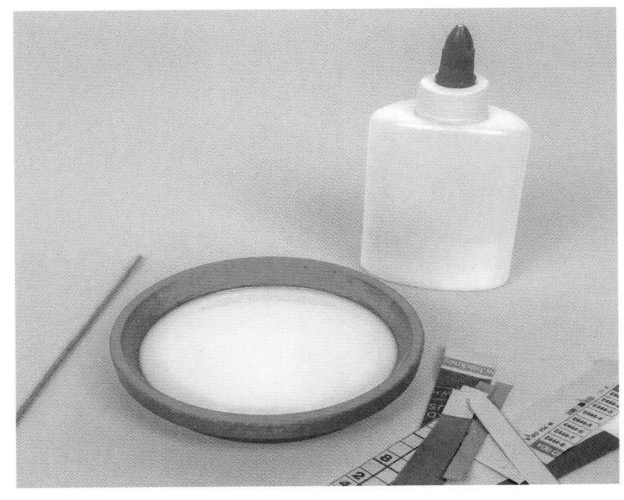

4. 将等量的清水和PVA胶水混合，倒入浅底的盘子中。将报纸撕成条状，然后将其浸入清水与胶水的混合物中，使纸条充分浸透。

5. 将浸泡的纸条放置于锡箔纸包裹的纸团上，然后用手指将其抹平。

6. 将纸条交叠覆盖在纸团上，多覆盖几层，同时确保每一层之间的胶水已经充分干透。

7. 等待纸模变干变硬。这可能需要数天的时间。

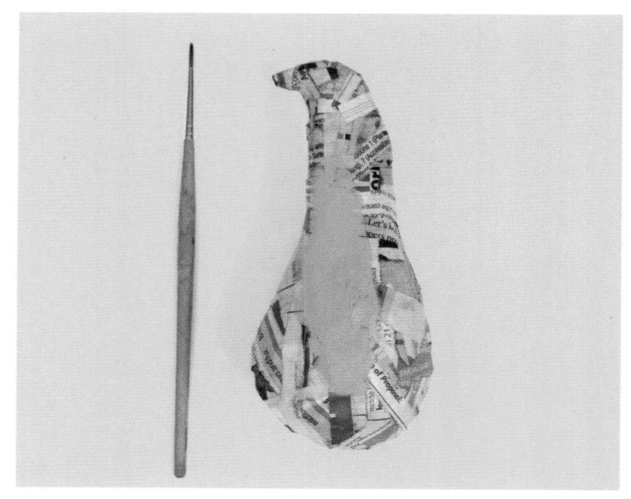

8. 充分变干变硬后，根据自己的喜好，为其上色。

9. 在硬纸板上画出四肢。双脚不仅要美观，还要稳固。将画好的四肢剪下。

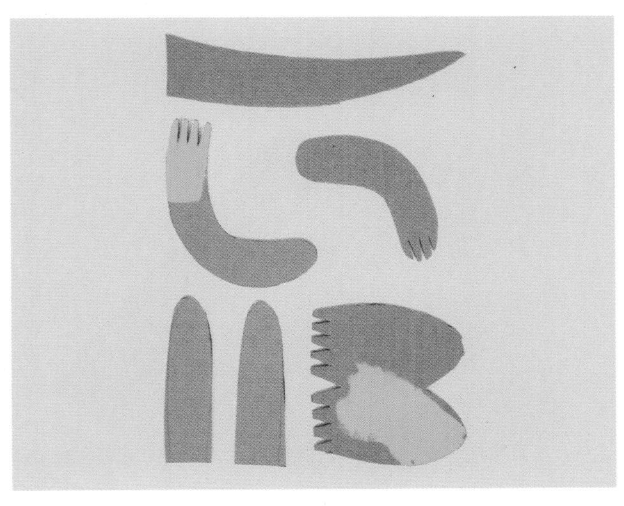

10. 涂上明亮的颜色，并描出图案和纹理。

11. 用胶水将腿和脚粘贴在一起，可以使用胶带加固。

12. 等待身体变干后，粘贴四肢和尾部。最后，就可以召唤大家制作的怪兽了！

照片展示了你的内心世界

表现性格的照片？

人物摄影展示了人物的内心。

①

自从发明了摄影技术，人们便开始拍摄人物肖像。在早期，拍摄肖像是十分严肃的事情，所以人们并不会微笑。而且拍摄一张照片需要长达20分钟！现如今，我们随时随地都可以拍照，既简单又便捷。

②

自拍已经是十分流行的摄影门类。在自拍时，我们能够更好地控制拍摄效果，从而给别人留下我们希望的形象。我们会分享和朋友一起玩乐的照片，可能是为了显得自己很受欢迎，也可能只是想分享愉快的时刻。

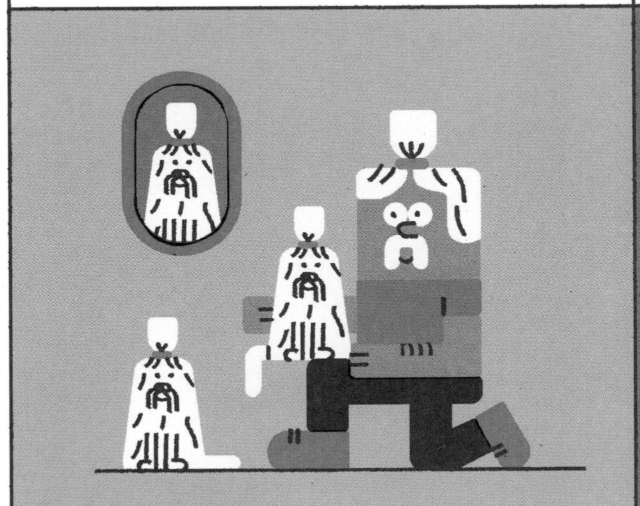

③

当摄影师拍摄人物时，他们会仔细设计构图，从而更好地表现人物。借助不同的服饰、场景以及道具，人物的性格可以得到充分诠释。

④

下一页是伊洛娜·兹瓦克（Ilona Szwarc）拍摄的一位表演竞技骑术的女孩。照片看似十分简单，但如果仔细观察，你会发现拍摄地点、她的表情、牛仔帽以及腰带都能够表现出她的性格和爱好。

伊洛娜·兹瓦克（Ilona Szwarc）在德州度过了整个夏天，她拍摄了很多表演竞技骑术的女孩子。这些女孩子都表现出了传统男性牛仔的形象——勤奋、守纪。

你好，《竞技女孩》（*Rodeo Girls*）！

“这个系列展现了美国女孩不同的生活方式。”

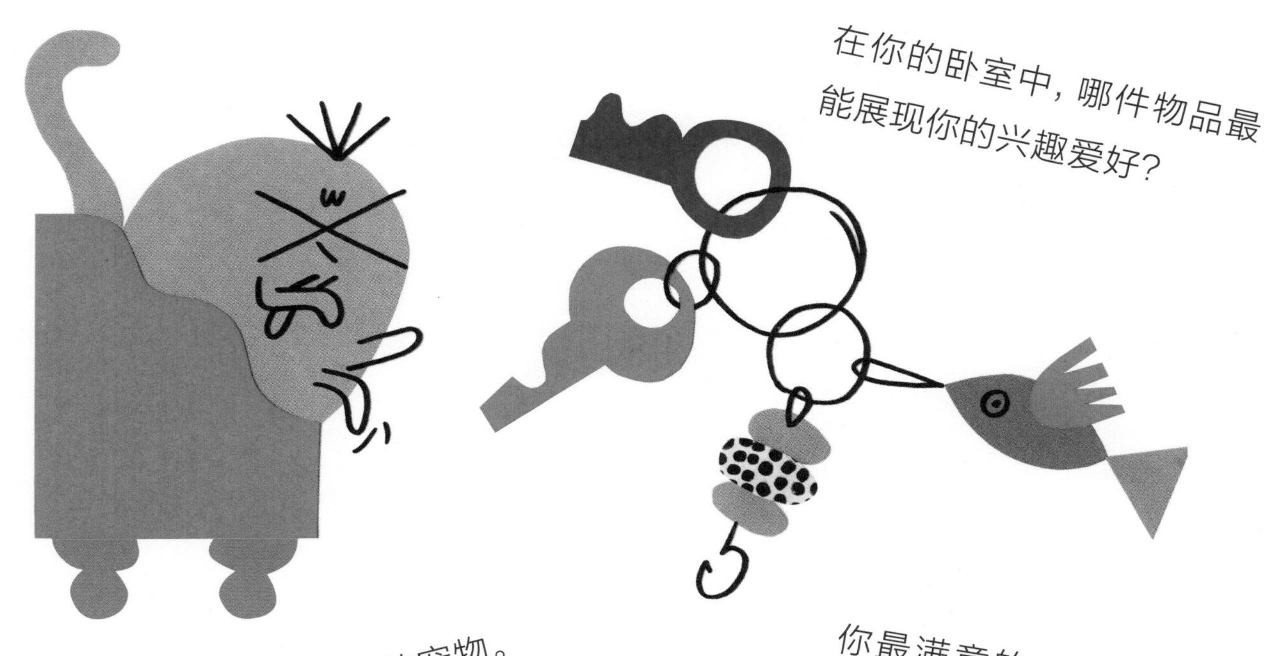

在你的卧室中，哪件物品最能展现你的兴趣爱好？

拍摄一只正在卖弄个性的宠物。

你最满意的一张自拍是哪张？为什么？

展示自我

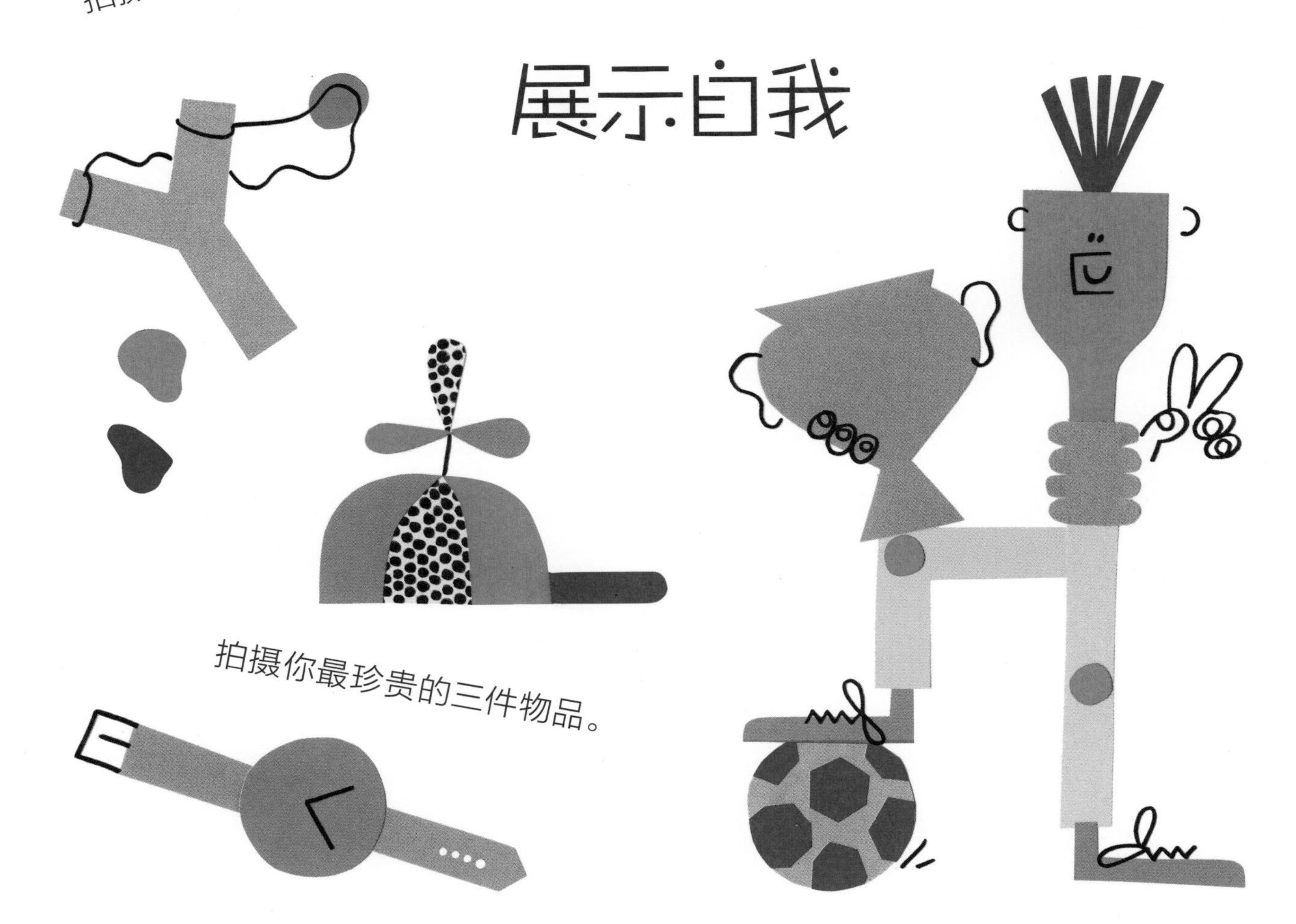

拍摄你最珍贵的三件物品。

借助道具的人物摄影

最潮的摄影！

你的内心是否隐藏着某种动物？

摄影

→ 材料清单:
白纸、铅笔、大片硬纸板、广告颜料、画笔、剪刀、相机、梯子或者椅子和一位朋友。

1. 描绘出最能代表你性格的动物。这里我们选择一条鲨鱼，所以我们还需要植物和小鱼的道具。

2. 在硬纸板上勾勒出道具的轮廓。

3. 用剪刀剪下，并用广告颜料上色，将其晾干。

4. 在每一个道具上面绘制细节。

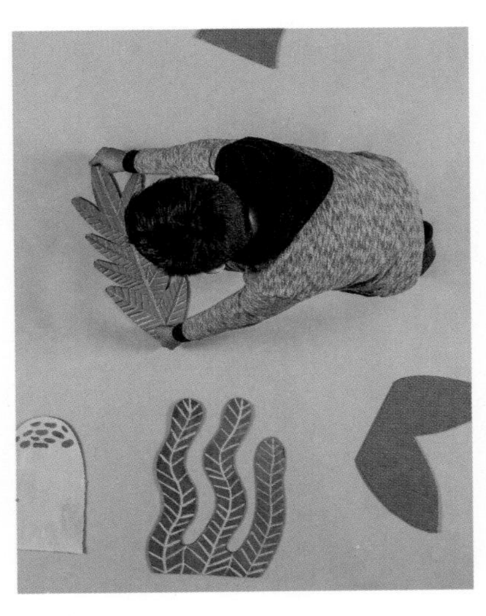

5. 寻找宽阔、平坦的地面作为摄影背景。然后摆放道具。

6. 尝试不同的姿势，与道具搭配，然后请朋友站在椅子上方俯拍。

在人物摄影上进行绘画创作

78

无需白色的画布。

我们可以在照片上作画。

摄影

→ 材料清单:
打印的照片或从杂志中剪下的图片、铅笔、白纸、剪刀、亚克力涂料和画笔。

1. 找一些家人和朋友的照片，不过要事先征得同意哦！或者也可以从杂志上剪下一张人物图片。

2. 如何展现人物的性格？你可以改变服饰、妆容和场景，或者布置他们喜爱的物品。在一张白纸上画出你的创意。

3. 首先绘制背景色。使用丙烯颜料直接在照片上涂色。

4. 然后继续描绘细节图案。通过这种方式，你可以制作一个家庭影集。

图片来源

Cover Ola Niepsuj, think and make like an artist, 2016 **9** Jay Daniel Wright, What is a painting?, 2016 **10** Cornelia Baltes, Dingbats, 2013, Acrylic on canvas and wood, 130 x 120 cm, Limoncello Gallery London **11** Ola Niepsuj, Play with paint, 2016 **17** Jay Daniel Wright, Why make sculptures?, 2016 **18** James Drive, Hot with the chance of a late storm, 2006, polystyrene with a urethane coat, 6 x 6 x 1 m, private collection, photograph © Derek Henderson **19** Ola Niepsuj, Love or Hate, 2016 **27** Jay Daniel Wright, Can clothes talk?, 2016 **28** Damien Poulain, Masks and sweets, 2011, mixed media, private collection, photograph © Thomas Adank **29** Ola Niepsuj, Who are you today?, 2016 **35** Jay Daniel Wright, Why do some pictures stick?, 2016 **36** Sarah Ilenberger, Chili con carne, 2009, paper, private collection, photograph © Ragnar Schmuck **37** Ola Niepsuj, Opposites + Lookalikes, 2016 **43** Jay Daniel Wright, Can traditional crafts inspire?, 2016 **44** Henning Wagenbreth, !WOW! Symmetrical Papercuts Poster, 2014, silkscreen print, 70 x 100 cm, private collection **45** Ola Niepsuj, Mirrors + shadows, 2016 **53** Jay Daniel Wright Can buildings change lives?, 2016 **54** Haus-Rucker-Co, (Laurids Ortner, Manfred Ortner, Klaus Pinter and Günter Zamp Kelp) Oasis No. 7, documenta 5, Kassel, 1972, plastic and metal, 8 x 8 m, photograph © documenta Archiv **55** Ola Niepsuj, Dreams + nightmares, 2016 **63** Jay Daniel Wright, Why make art together?, 2016 **64** Yayoi Kusama, The Obliteration Room, 2002 to present, furniture, white paint, dot stickers. Collaboration between Yayoi Kusama and Queensland Art Gallery.Commissioned Queensland Art Gallery, Australia. Gift of the artist through the Queensland Art Gallery Foundation 2012 Collection: Queensland Art Gallery, Brisbane, photograph: Mark Sherwood, QAGOMA © Yayoi Kusama **65** Ola Niepsuj, Team play, 2016 **66** Jay Daniel Wright, A photo of your personality?, 2016 **67** Ilona Szwarc, Rodeo Girls, 2012, private collection **68** Ola Niepsuj, Show yourself, 2016